영어 말하기 클래스

Class for Speaking English

영어 말하기 클래스

Class for Speaking English

장현정 지음

차례

1강 - 자기 생각을 짧게 나누기 … 6
2강 - 거울 보고 말하기 연습 … 10
3강 - 단어 학습의 방법 … 15
4강 - 문장으로 말하는 연습 … 20
5강 - 시제를 자유자재로 사용하기 … 22
6강 - 관계대명사를 자유자재로 사용하기 … 26
7강 - 자기 생각을 계속 영어로 표현하는 연습 … 29
8강 - 쓰기와 함께 자라는 말하기 … 33
9강 - 말하기 주제에 따른 말하기 연습 … 36
10강 - 친구와 피자를 먹으며 영어로 대화하기 … 43
11강 - 메신저 앱으로 친구와 영어 채팅하기 … 50
12강 - 틈틈이 영어로 일기 쓰기 … 54
13강 - 영어 말하기에 유용한 문법들 … 57
14강 - 영어로 대화를 이어가는 방법 … 65
15강 - 독자적으로 그리고 유창하게 … 69
16강 - 영어 말하기 감각 유지하기 … 71
17강 - 영어로 할 수 있는 과제 해내기 … 72
18강 - 정답은 없다 … 74
19강 - 생각을 보며 그것을 영어로 바로 말해보기 … 76
20강 - ChatGPT의 말하기에 있어서의 활용 … 79

부록. 말하기에 유용한 문장 230개 … 81

1강 - 자기 생각을 짧게 나누기

영어 말하기는 기본적으로 문장을 소리내어 이어가는 과정이다. 문장을 구성할 때 생각을 쪼개어서 짧은 문장을 잇도록 연습하면 좋다.

…I felt everything about you deeply. It's a kind of sadness, because things between us are already over. But it's still mine when it comes to you.

해석 : 너에 대해 모든 걸 깊이 느꼈어. 그건 슬픔의 일종인데, 왜냐하면 우리 사이의 것들이 이미 끝나서야. 하지만 너에 대해서는 여전히 나만의 것이야.

① 생각이 드는 대로, ② 그것을 짧은 문장으로 만들어내어, ③ 계속 이야기할 수 있다. 한 문장이 끝나면 잠시 쉬었다가 가도 된다. 중요한 것은 머릿속에 있는 생각을 짧은 문장으로 만들어 그것을 연결하는 기술이다.

① 한글로 자신의 생각을 적어보고, ② 그것을 영어로 말해보도록 하자. 이때 영어로 말할 때, ③ 소리를 내어 천천히 말해보자.

…어제는 너무 피곤해서 일찍 잠들었다. 아침에 일어났는데 여

전히 피곤하여 조깅을 하지 못했다. 오후가 되고 책을 읽었다. 몇몇 과제를 하고 저녁이 되었다. 내일은 조깅을 해야겠다….

…I was tired yesterday, so I went to bed early. When I got up in the morning, I was still exhausted, so I wasn't able to jog. In the afternoon, I read a book. I did some assignments and it became evening. I will go jogging tomorrow….

이렇게 ① 생각을 문장으로 나타낸 다음, 그것을 ② 영어의 일상적인 표현으로 바꾸는 연습을 할 수 있다.

이번에는 ① 불분명한 생각을 분명한 생각으로 바꾸고 또 그것을 ② 영어 표현으로 바꾸어보자. 이렇게 자기만의 생각을 영어로 표현할 수 있다. ③ 생각을 말하도록 연습하는 것은 자기 표현으로서 중요한 부분이다.

…어떤 상념이 마음속에 맴돌지만/ 그것이 정확히 어떤 것인지는 모르겠다. 어떤 두려움일 수도 있고,/ 어떤 불안일 수도 있을 것이다. 하지만 그것이 내 안을 완전히 점령하지는 않는데,/ 왜냐하면 나는 나 스스로의 시선을 세우고 있기 때문이다….

…Some thoughts circle in my heart. But I don't know what it is correctly. It may be some fear or it may be some anxiety. However, it doesn't occupy me completely. Because I set my own sight in my heart….

① 불분명한 생각이나 표현 덩어리를, ② 하나의 분명한 문장으로 바꾸고 ③ 그러한 문장을 이어가는 연습을 계속할 수 있다. 이때 중요한 한 가지의 기술은 문장을 구성하는 의미 덩어리를 제법 활용할 수 있어야 한다. 예를 들어, when I got up in the morning, 이라든가 when I went to bed, 이라든가 하는 표현이다. 일상적으로 의미 덩어리로 표현하는 것들을 제법 익힐 필요가 있다. 그러한 의미 덩어리를 표현할 수 있으면 영어 말하기가 보다 습관적으로 쉬워진다.

① 우리가 한글로 생각하고 말하는 것을 ② 조금씩 영어로 옮기는 연습을 하는 것이다. 영어의 지역별, 국가별 사투리를 배우는 것이 아니라 표준 영어를 말할 수 있는 점이 중요하다. ① 동시에 자신의 영어 발음에 대해서도 자신감을 가지되 ② 개선에의 방향성을 지닐 필요가 있다.

영어 말하기에서 자기 생각을 짧게 나누어서 그것을 연속적으로 말하는 연습은 꽤 중요한 과정이다. 자기가 평소에 하는 말을 영어로 할 수 있기 위해서 이러한 방법이 매우 유용하다.

1강의 마지막 활동으로 ① 하나의 생각 덩어리를 ② 영어 문장으로 짧게 만드는 연습을 해보겠다.

…구름처럼, 바람처럼 살아가기로 하였다. 무언가 불분명한 채로 있는 그대로 살아가는 것이다. 삶이 내게 숙제를 냈기에 그냥 살 수는 없다. 어쨌든 그러한 과제를 안고 나는 계속 살아

가기로 했다….

…I would live like a cloud, and a wind. I would live as it is, with something unclear. Life has given me some tasks, so I can't just live passively. Anyway, with these tasks, I will continue living my life….

이렇게 몇몇 생각 덩어리와 표현을 영어 문장으로 쪼개어 나타내는 법을 알아보았다. 한 문장, 한 문장씩 말할 수 있고, 또 동시에 그러한 문장의 연결을 이해하며 말할 수 있어야 한다.

즉, 머릿속 생각 덩어리를 하나씩 정리하여 그것을 순서대로 하나의 영어 문장으로 만들어내 그것을 이어가는 기술이 필요하다.

한편, 우리가 문어로 사용하는 문장을 말하기로 그대로 연결한다면 꽤 고급스러운 영어를 사용할 수 있다.

① 듣기에만 집중하면 말하기를 하지 못한다. ② 약간이라도 우리가 입으로 소리를 내어 말해야 그것이 말하기로 나타난다. 그리고 ③ 우리가 말하기에 집중하면 동시에 상대방의 말을 들을 수 있다.

2강 - 거울 보고 말하기 연습

우리가 일반적으로 말하기를 시도할 때 상대방이 있어야 한다. 하지만 말할 상대가 마땅찮을 때 우리는 거울을 보며 말하기 연습을 할 수 있다. 하루 5분의 시간 동안 거울을 보며 주고받는 대화를 모두 우리 혼자서 해낼 수 있다. 배우가 연기를 하는 것처럼 그렇게 혼자서 대화 연습을 할 수 있다. 이때 그 표현이 맞는지 아니든지 신경 쓰지 말고 그저 말하기를 이어가는 것 자체에 목적을 둔다.

연습을 해보자.

나 1 : How was today?

나 2 : It was so good. And how about you?

나 1 : It was great, too. What did you have for lunch?

나 2 : A hamburger and a Coke. And you?

나 1 : A tuna sandwich and an orange juice.

나 2 : What are you planning to do this afternoon?

나 1 : I am going to play tennis.

나 2 : It's wonderful. I am going to see a movie this afternoon.

나 1 : Okay, I've gotta go.

나 2 : See you tomorrow.

[해석]
나 1 : 오늘은 어떻게 보냈어?
나 2 : 정말 좋았어. 넌?
나 1 : 나도 좋았어. 점심은 뭘 먹었어?
나 2 : 햄버거 하나랑 콜라 먹었어. 넌?
나 1 : 참치 샌드위치 하나랑 오렌지 주스 먹었어.
나 2 : 오늘 오후에 뭐할 거야?
나 1 : 테니스를 치려고.
나 2 : 멋지네. 나는 오늘 오후에 영화를 보려고.
나 1 : 응. 난 이만 가볼게.
나 2 : 내일 봐.

약간의 내용이 담긴 대화다. 일상에서 할 수 있는 질문과 내용이다. 거울을 보면서 나 혼자서 1인 2역을 하면서 영어를 말하는 방법을 익힌다. 혼자서 하기에 잘할 부담이 없고, 또 부끄럽지도 않다. 그리고 매일 영어 공부를 해나가면서 그러한 거울 보고 말하기 연습도 실력이 상승한다.

또 다른 대화를 연습해 보자.

나 1 : What are you doing now?
나 2 : I haven't finished my English assignment.
나 1 : Oh, it's so hard to finish it.
나 2 : Yeah, English is difficult because it has many rules.
나 1 : Yes, really. When it comes to English, there are many different components.

나 2 : Even though learning English is hard, English is an essential subject today's world.
나 1 : Yes, I agree.

[해석]
나 1 : 지금 뭐해?
나 2 : 아직 영어 숙제를 마치지 못했어.
나 1 : 오, 끝내기 어렵겠다.
나 2 : 응, 영어는 많은 규칙을 갖고 있어서 어렵거든.
나 1 : 응, 정말 그래. 영어에 관한 한, 많은 다른 요소들이 있어.
나 2 : 비록 배우기 어렵긴 해도 영어는 오늘날 필수 과목이야.
나 1 : 맞아, 동의해.

대화에 대해서 하나의 주제가 있으면 그 주제에 대해서 계속 이야기할 수 있다.

하나의 주제에 대해서 대화를 나누는 연습을 해보자. 대화의 주제는 꿈에 대해서다.

나 1 : I'm looking for something to do in my life.
나 2 : Umm, what dream do you have?
나 1 : I want to be a poet but I need to make an effort to support my life as a poet.
나 2 : You want to be a poet but you are trying to find something to support your poet life.
나 1 : Yes. But I don't know it now. And is there

anything you want to be in life?

나 2 : I want to be a math teacher.

나 1 : I envy you. Your job will give you money. But I love to write poems.

나 2 : Can I see your poems?

나 1 : No, it's clumsy now. Someday, I will give you my first poetry collection.

나 2 : Okay, I expect it. And I hope you'll certainly find a good job to support your work as a poet.

나 1 : Thanks.

나 2 : You're welcome.

[해석]

나 1 : 나는 내 인생에서 해야 할 일을 찾고 있어.

나 2 : 음, 네 꿈은 뭐야?

나 1 : 나는 시인이 되고 싶지만, 시인으로서의 삶을 지원하기 위해 노력해야 해.

나 2 : 그러니까 넌 시인이 되고 싶지만 너의 시인으로서의 삶을 위해 어떤 일을 찾고 있구나.

나 1 : 응. 그렇지만 지금은 잘 모르겠어. 넌 되고 싶은 무언가가 있니?

나 2 : 난 수학 선생님이 되고 싶어.

나 1 : 네가 부러워. 너의 직업은 너에게 돈을 줄 테니까. 하지만 난 시를 쓰는 걸 사랑하니까.

나 2 : 네 시를 좀 봐도 될까?

나 1 : 아직은 아냐. 서툴거든. 언젠가 나의 첫 시집을 줄게.

나 2 : 알았어. 기대할게. 네가 너의 시인으로서의 작업을 지지하기 위한 좋은 일자리를 찾길 바랄게.

나 1 : 고마워.

나 2 : 천만에.

이런 방식으로 ① 수많은 주제에 대해 거울을 보며 스스로 대화를 해볼 수 있다. 중요한 것은 ② 조금이라도 많이 이야기해보는 것이고 말하기나 대화 또한 기본적으로 문장 구조로 되어 있기 때문에 ③ 문장을 형성하는 기본적인 문법이나 단어들에 대해서 어느 정도 공부를 해둘 필요가 있다.

3강 - 단어 학습의 방법

말하기에 있어서 중요한 한 가지는 ① 기본 문법에 대한 이해를 갖고 ② 추가해서 단어를 계속 학습하는 일이다. 그리고 ③ 그 단어가 문장 내에서 어떻게 사용되는지 아는 일이다. 단어의 범주에 따라서 문장에서 사용되는 과정도 다름을 알아야 한다.

1) 단어가 명사 범주일 때

- 단어가 명사의 범주일 때, 주어와 목적어, 보어로 사용될 수 있으며 단수/복수로 사용된다. 이때 때에 따라 정관사/부정관사의 관사가 붙기도 한다.

- She is a student. 여기에서 student라는 명사에 부정관사 a를 붙여서 보어로 사용되었다. 단순히 student라는 단어를 외우는 것이 아니라 문장에서 어떻게 사용되는지 학습해야 한다.

- The student asked me how to speak English. 여기에서는 student에 정관사 the가 붙었다. 이 정관사는 '(바로) 그' 학생이라는 성격으로 사용되었다.

- 명사의 범주에 때에 따라 부정관사/정관사가 다르게 붙어서 사용되는데, 이는 충분한 연습을 통해서 때에 따라 사용방식

을 익힐 수 있다.

- 주어를 구성하는 (대)명사가 단수/복수일 때는 동사의 사용 방식이 달라진다.

- The girl looks beautiful. 주어인 The girl이 단수이므로 일반동사에 -(e)s의 변화를 주었다.

- Some children came and took candies. 주어인 Some children이 복수고 시간성이 과거이므로 일반동사의 과거형을 써주었다.

2) 단어가 동사일 때

- 말하기에서 사용되는 동사를 확인할 때 동사의 특징을 이해하고 문장에서 사용할 수 있다. ① 주어 다음에 위치해서 본동사(일반동사, be동사)만으로도 사용이 가능하고 ② 조동사에 준동사가 결합되어 사용되기도 한다. 또한 ③ 영어에 있는 시간성의 범주인 시제도 동사의 구성에서 이루어진다. 동사가 이렇게 다양한 이유는 많은 상황에서 그 뜻을 정확하게 전달하고 시간성을 명확하게 하기 위해서이다. 이러한 다양한 동사적 표현을 동사구라고 하는데, 동사구는 구성하는 대로 가능하다.

- Tommy is a good student. [be동사가 시제와 수에 의거해

is로 사용되었다]

- She saw a big dog in the street. [일반동사 saw가 과거 시제로 사용되었다]

- She can speak English very well. [서법조동사인 can에 그것의 뜻을 더해주는 원형부정사 speak이 사용되었다]

- He should practice running for his health. [서법조동사인 should에 원형부정사인 practice가 사용되었다]

- She is going to watch the movie tomorrow. [준조동사 be going to와 원형부정사로 쓰인 watch가 결합하였다]

- It is raining now. [동사구가 현재진행이다]

- She has finished her assignments. [동사구가 현재완료다]

- She has been living in this house for 12 years. [현재완료진행으로서 과거가 현재까지 이어지고 있는 시제][동사는 동사구로서 has been living]

- 이렇게 동사 범주의 단어들을 학습할 때, 동사는 필요에 따라 주어의 수와 시제에 따라 변화하며, 동사의 다양한 성질에 따라 동사구를 구성하기도 한다는 점이다. 또 구동사(phrasal verb)가 있는데 이는 동사가 부사나 전치사와 결합해 특유의 뜻을 나타내는 동사 덩어리를 말한다. eat out(외식하다), give up(포기하다), get along with(~와 잘 지내다) 등이 있고, 이는 실제 회화 표현에서 자주 사용된다.

3) 단어가 형용사나 부사일 때

- 단어가 형용사라면 그 뒤에 명사가 붙는다. 그것을 형용사의 한정적 용법이라고 한다. 또한 형용사는 문장에서 보어로 사용되는데 이를 형용사의 서술적 용법이라고 한다. 그리고 부사는 그러한 형용사나 동사, 그리고 다른 부사를 꾸미거나 문장 전체를 꾸며준다.

- She is a pretty girl./ She is pretty. [앞 문장은 형용사 pretty가 명사를 꾸며주는 한정적 용법이고 뒷 문장은 형용사 pretty가 서술적 용법으로 사용된 경우다]

- The mountain is extremely high. [부사인 extremely가 형용사인 high를 꾸며준다.]

단어 학습은 단어의 범주마다 가진 문법적 특성으로 인해 기계적으로 암기하는 것이 아닌, 그것이 문장에서 어떻게 사용되는지 확인하며 배울 필요가 있다.

한편, 단어를 얼마나 암기해야 할지에 대해 생각할 수 있겠지만, 일반적으로 초등 단어책과 중등 단어책, 그리고 수능 단어책 속의 단어를 문장에서의 표현과 더불어 학습할 수 있고 또

좀더 나아가자면 토익 단어책 또한 익힌다면 보다 좋을 것 같다. 그 외에는 단어책을 본다기보다는 좋은 영어책이나 영어 원서를 읽으면서 단어를 하나씩 익혀나가는 것이 좋다. 영어 원서를 읽는 초기에는 동화책을 권유한다.

4강 - 문장으로 말하는 연습

말하기의 중심은 문장을 형성하고 그것을 이어가는 능력이다. 즉 문장 형성의 커넥션을 해낼 수 있어야 한다. 문장은 ① 기본 문장에서 시작하여 그것을 ② 수식어구로 확장할 수 있다.

1) 주어 + 동사 + 목적어(보어)

- She likes swimming. [동사는 likes이고 목적어로 swimming이 사용되었다]

- She likes swimming for her hobby. [수식어구로 for her hobby가 붙었다]

2) 종속절 사용 방법

- (When she was late,) some people burst out complaining. [When she was late, 는 when이 이끄는 종속절로서 뒤에 오는 주절을 꾸민다.]

- (If she had a baby,) she would be kind to other babies. [If she had a baby, 도 if가 이끄는 종속절로서 뒤에 오는 주절을 꾸민다.]

3) 몇몇 문장을 영어 대화로 바꾸는 과정

- 그녀는 배려심이 많고 정직해.

-> She is considerate and honest.

- 앞으로는 내 삶을 살아갈 거야.

-> I will live my life from now on.

- 삶은 어렵긴 하지만 나는 열심히 살아낼 거야.

-> Life is difficult but I will live it to the fullest.

- 어제는 비가 내렸고 하루 종일 우울했었어.

-> It rained yesterday and I was gloomy all day.

- 이젠 더 이상 두렵지 않아.

-> I won't be fearful any more.

- 그녀가 나를 사랑한다고 고백했어.

-> She confessed to me that she loves me.

이렇게 자신이 생각하는 문장을 영어 문장으로 바꾸는 훈련은 실제로 영어 말하기에서 사용될 수 있다. 특히 자기 생각을 영어 문장으로 바꾸는 훈련은 매일 1~5문장씩으로 자기에게 과제로 내고 또 해낼 수 있다. 그렇게 생각을 영어 문장으로 바꾸는 과정을 제법 겪으면 그러한 표현이 말하기에도 접목이 되어서 꽤 도움이 된다.

5강 - 시제를 자유자재로 사용하기

영어에서 시제, 즉 동사를 사용하여 시간성을 나타내는 문법적 범주는 모두 열두 개로 구분한다. 이때 현재 범주에서 4개, 과거 범주에서 4개, 미래 범주에서 4개가 존재한다.

현재 범주 : 단순현재/ 현재진행/ 현재완료/ 현재완료진행
과거 범주 : 단순과거/ 과거진행/ 과거완료/ 과거완료진행
미래 범주 : 단순미래/ 미래진행/ 미래완료/ 미래완료진행

이렇게 12개의 형태가 존재한다. 이러한 시제 형태는 동사의 변화로 나타낸다.

현재 범주에 대해서 알아보자. 단순현재는 동사의 현재형을 사용하는 경우이며, 일반적인 사실이나 반복적인 습관, 혹은 진리에 해당하는 구문 등을 나타낸다. 주어가 3인칭이고 현재형일 때 일반동사는 -(e)s를 붙여서 사용한다. 이때 현재형에서 be동사를 사용할 때는 주어에 따라 am/are/is를 자유롭게 사용한다.

현재진행은 그것의 형태로 인해서 어떤 일이 일시적으로 현재의 시간 속에서 진행 중인 경우를 말한다. 혹은 가까운 미래도 나타낸다. am/are/is + ~ing의 형태이다. ~ing는 동사에 ~ing를 더한 형태로 현재분사다.

현재완료는 과거의 어떤 일이 현재에 완료되었거나, 여전히 그 흔적이 남아있는 경우에 사용된다. 형태는 have + p.p.이다. p.p.는 동사의 과거분사 형태이다.

현재완료진행은 과거의 어떤 일이 현재에도 계속 이어지고 있는 경우에 사용된다. 가끔 현재완료와 겹치기도 한다. 형태는 have + been + ~ing이다.

과거형의 범주를 살펴보면 기본적으로 단순 과거가 있다. 단순 과거는 be동사의 was/were, 서법조동사의 과거 형태, 일반동사의 규칙/불규칙 변화 과거 형태가 있다. 과거는 과거에 일어난 사실 자체에 대해서 말하고 그것의 현재와의 관련성은 말하지 않는다.

과거진행은 was/were + ~ing의 형태로 과거의 어느 순간에 어떤 일이 일어나는 중이었음을 말해준다. 역시 현재와의 관련성은 없다.

과거완료는 had + p.p. 형태를 나타내며 과거 이전의 과거에 일어난 일이 과거까지 영향을 미치거나 과거 이전에 마무리된 경우를 뜻한다.

과거완료진행은 과거 이전의 어떤 시점에서 과거까지 일이 진행되는 경우를 말한다. 잘 쓰이지 않는 문법이라서 그저 내용을 이해하는 정도만 하면 된다. 형태는 had + been + ~ing이다.

미래 시제에서 단순미래는 will + 동사의 원형 형태, 이다. 단순히 미래의 일을 나타낼 때 사용될 수 있다.

미래진행은 미래의 어느 시점에서 어떤 일이 진행 중일 때 사용할 수 있다. 형태는 will + be + ~ing이다.

미래완료는 미래의 어느 시점에서 어떤 일이 완료되거나 끝마친 상황을 말한다. 형태는 will + have + p.p.이다. 실제로 잘 사용되지 않는 시제니 이해만 하고 넘어가도 된다.

미래완료진행은 일이 미래의 어느 시점까지 진행 중인 경우를 말한다. 형태는 will + have + been + ~ing이다. 실제로 잘 사용되지 않는 시제이니 이해만 하고 넘어가도 된다.

[시제를 말하기에 적용할 때 유의점]

- 동사를 구성할 때 ① 어떤 시간성을 써야 할지 정하고 ② 그것의 표현을 익히는 것이 필요하다.
- 주어 다음으로 구성하는 것이 동사의 시제이기 때문에 자신이 말하고자 하는 시점을 12시제 안에서 찾아서 구성한다.
- 문장에서 시제를 구성하는 지점이 동사에 있다는 것을 안다.
- 12시제에 대한 활용 문장을 스스로 몇 번 만들어본다.

사례 : 과거진행과 현재완료진행의 표현 연습

- 과거진행 : 과거의 어느 순간에 진행 중인 일에 대해서

She was running in the park yesterday.
[주어인 she에 대해 진행형을 만드는 be동사를 조동사로서 활용해 was를 썼고, was + running을 통해서 그녀가 어제 '달리고 있었다'를 표현할 수 있다]

- 현재완료진행 : 과거의 일이 현재까지 이어지거나 그 완료의 흔적이 현재에 남은 경우

He has been studying English since last year.
[주어인 he에 대해 현재완료를 나타내는 조동사 have를 has로 사용했고 작년부터 영어를 '계속 공부해왔다는 것'을 표현할 수 있다]

한편, 동사가 수동태가 될 경우, 이러한 몇몇 시제를 변형해서 사용할 수 있다. 단순현재 시제의 수동태는 am/are/is + p.p.로 바뀌고, 현재진행 시제의 수동태는 am/are/is + being + p.p.로 바뀐다. 현재완료 시제의 수동태는 have(has) + been + p.p.로 바뀐다. 과거시제의 수동태는 was/were + p.p.로 바뀌고 과거진행의 수동태는 was/were + being + p.p.로 바뀐다. 단순미래 시제의 수동태는 will + be + p.p.이다. 미래완료의 수동태는 will + have + been + p.p.이다.

6강 - 관계대명사를 자유자재로 사용하기

일반적으로 문장이 길어질 경우, 설명되는 같은 지점을 말하는 경우가 있다. 이 같은 지점을 선행사라고 할 수 있는데, 이 선행사가 사람인 경우 혹은 다른 사물이나 동물일 경우로 구분해서 선행사 뒤에 오는 관계대명사가 달라진다.

관계대명사는 첫째로, ① 문장이 길어질 때 관련된 문장에서 같은 지점을 말할 때 사용할 수 있다. 또한, ② 그 지점을 보충 설명할 때도 사용할 수 있다. 일반적으로 쉽게 사용하는 관계대명사는 which나 that 그리고 who나 whom정도가 있다. 선행사가 사람일 경우 who나 whom, 그리고 that을 사용하고, 선행사가 사물이거나 동물이면 which나 that을 사용한다. 이때 which는 그것의 목적격 또한 같은 형태이다. that은 주격과 목적격 모두 사용될 수 있다.

She saw a puppy in the park. + The puppy looked pretty.

두 문장에서 같은 지점은 puppy이다. puppy는 동물이므로 관계대명사로는 which가 가능하다. which가 주격이냐 목적격이냐의 문제가 남는데, 주격일 경우 관계대명사 뒤에 동사가 오고, 목적격이면 관계대명사 뒤에 주어와 동사가 온다.

-> She saw a puppy which looked pretty in the park.

-> The puppy, which she saw in the park, looked pretty.

[윗 문장은 which가 주격으로 사용되었고, 아랫 문장은 which가 이끄는 절이 the puppy를 꾸며준다.]

Tom read a poetry book. + Amy also read the poetry book.

-> Tom read a poetry book which Amy also read.
[톰이 읽은 책은 에이미도 읽었고, which 뒤에 주어+동사가 오므로 which는 목적격이다]

Jenny is a student. + She loves reading fairy tales.

두 문장에서 같은 지점은 주어이다. 관계대명사 who가 제니를 수식하는 관계절을 이끈다.

-> Jenny, who loves reading fairy tales, is a student.
[제니가 선행사로, 관계대명사 who를 주격으로 사용하였다.]

She respects her husband. + She also loves him.

-> She respects her husband whom she also loves.
[선행사가 her husband로 목적격 관계대명사 whom이 사용되었다. whom 뒤에 주어+동사가 왔다.]

관계대명사의 말하기로의 표현 연습 시 유의사항

- 관계대명사가 사용된 문장은 복문(종속절과 주절이 결합된)이기 때문에 자유자재로 말하기가 어렵다. 다만 이러한 경우에 있어서 관계대명사가 사용된 문장을 여럿 만들어보고 익히는 것이 중요하다.
- 단문을 계속 말하는 것도 중요하지만 관계대명사가 들어간 복문을 말하는 연습을 하면 훨씬 세련된 문장을 말할 수 있다.
- 관련 문장을 실제로 여러 번 입으로 내어 천천히 말하는 연습을 해본다.

I love him....... (him과 관련된 것이 뒤에 나올 것) whom I admire..... so I hope he also likes me.... Many things (many things와 관련된 것이 뒤에 나올 것) that I have tried for me will give me the result.

이렇게 실제로 말속에서 관계대명사가 사용된다. 문법에서 시작되었지만, 일상어로도 손색이 없는 관계대명사다.

7강 - 자기 생각을 계속 영어로 표현하는 연습

자기 생각은 머릿속에서 불분명한 언어의 과정에 있다. 거울을 보며 그것을 ① 천천히, ② 문장의 형식을 갖추어가며, ③ 말로 꺼내어 이어볼 필요가 있다. 그러한 연습은 실제로 대화를 할 때 어떻게 자기 이야기를 풀어나가야 하는지 힘이 될 수 있다.

…Sorry, I didn't see your camera. Was it broken? …Oh, thanks. It's fortunate it was't broken. …Okay, good-bye. See you. …Something important in my life is to set my own goal that I want to realize. …Now, I am looking for what it is. …Hope everything will be fine. …Now, am tired. Life is sometimes easy, but sometimes difficult. Nevertheless I will live my own life….

[해석]
…미안해, 너의 카메라를 보지 못했어. 부서졌어? …오, 고마워. 그것이 부서지지 않아서 다행이야. …응, 안녕. 나중에 봐. …내 삶에서 중요한 무언가는 내가 실현하기를 원하는 나만의 목표를 세우는 거야. …지금, 나는 그것이 무엇인지 찾고 있어. …바라는 건 모든 것이 괜찮은 거야. …지금, 조금 피곤해. 삶은 때로 쉽지만 때로 어려워. 그럼에도 불구하고 나는 내 삶을 살아갈 거야.

이렇게 카메라에 대한 이러저러한 대화, 그리고 혼자만의 생각이 흐르는 과정을 나타내보았다. 실제로 거울을 보고 천천히 자기가 할 수 있는 만큼 말하기를 할 때 이러한 방식으로 하면 된다.

동시에 친구들과 이야기할 때 자기 이야기를 좀 길게 말할 때도 이렇게 할 수 있다.

…I think that love is not easy. …It shows us its truth, but at the same time, it can easily abandon us. …I want to love someone, but my sincerity about love can be denied. …I hate it. …I hate my heart is denied by love. …Love is born when I bear someone in my heart. …But it's difficult that I bear someone in my heart. …I even don't know what the love is and I have some anxiety about love. …Because I am afraid in abandonment from someone whom I love. …that's why.

[해석]
…사랑이 쉽지 않다고 생각해. …그건 진실을 보여주지, 하지만 동시에, 그건 우리를 쉽게 버릴 수 있어. …나는 누군가를 사랑하고 싶어, 하지만 사랑의 내 진심은 부정될 수 있어. …난 그게 싫어. …난 사랑에 의해 내 마음이 부정되는 게 싫어. …사랑은 내 마음속에서 누군가를 품을 때 태어나. …하지만 내 마음속에 누군가를 품는다는 게 어려워. …난 심지어 사랑이 무엇인지 모르고 사랑에 대해 어떤 근심을 갖고있어. …왜냐하면 내가 사랑한 사람으로부터 버림받는 게 두렵거든. …그게 이유야.

자기 생각을 계속해서 영어로 말하는 과정은 ① 생각나는 대로 말해보되 문장의 형식을 갖추는 것에 신경 써야 한다. ② 일단 많이 연습해 본다. ③ 그 영어의 방식이나 내용을 평가하지 않고 자신이 입으로 소리를 내어 말하는 것을 잘 들으며 계속해서 이어보도록 한다.

말하기의 주제와 상관없이, 그저 무질서한 말이라도 일단 내뱉어보자.

…Even if life is difficult, never give up your life moment. …Life gives us assignments to do in each moment, and we should think of it as our duty. …Duty gives us reward and we can live with it. …But things we like give us freedom and happiness. …Sometimes we do our duty but sometimes we do things we like.

[해석]
…삶이 어렵다 할지라도, 네 삶의 순간을 결코 포기하지 말라. 삶은 매 순간 우리가 할 일을 제시한다. 그리고 우리는 그것을 우리의 의무로 생각해야 한다. …의무는 우리에게 보상을 주고 우리는 그것으로 살아갈 수 있다. …그러나 우리가 좋아하는 것들은 우리에게 자유와 행복을 준다. …때론 우리는 우리의 의무를 하지만 때론 우리는 우리가 좋아하는 것들을 한다.

일단 내뱉은 말이 만들어내는 다음 말에 대해서도 기대하며 내뱉어보자. 그렇게 우리는 우리 생각을 영어로 계속 말하는 것에 대해 시야와 역량이 생길 것이다.

영어에 대해 말하기 외에 다른 분야에 대한 공부가 더해지면서 자기가 말할 수 있는 범위가 질적으로 양적으로 향상될 것이다. 그러니 그저 생각나는 대로 다소간에 길게 말하는 것은 보다 질서가 잡힌 말하기가 될 것이고, 대화를 하기 위한 바탕이 된다.

8강 - 쓰기와 함께 자라는 말하기

영어로 문장을 쓰는 연습을 하면, 그것이 영어 말하기의 기본 틀이 되어 말하는 데 도움이 된다. 이때 문장 쓰기는 한글로 된 몇 줄이나 영어로 바로 쓰는 몇 줄이 될 수 있다. 하나의 주제에 대해 한글로 된 몇 줄을 영어로 바꾸거나 영어로 바로 쓰는 몇 줄을 매일 해나가다 보면 실제로 영어의 틀이 잡혀서 그것은 말하기의 틀이 될 수 있다.

…어제 수영을 했다. 오랜만에 한 수영이라서 재밌었다. …혼자서 30분 동안 수영을 하고 배가 고파졌다. …맛있게 점심을 먹고 집으로 갔다.

이 한글로 된 '수영'에 관한 짧은 글은 매우 일상적이며, 말하기의 내용이 될 수 있다. 이러한 메모를 쓰고 영어로 바꾸는 훈련을 할 수 있다.

…I swam in the pool yesterday. It was fun because I've done it after a long time. I swam alone for 30 minutes, and was hungry. I enjoyed my lunch and went home.

이렇게 일상적이며 가벼운 내용으로 된 문장을 쓰고 그것을 영어로 바꾸어 말하는 훈련을 하면 조금씩 말이 입에 붙는 것을 경험할 수 있다.

다음으로는 '전공'에 관한 짧고 일상적인 글을 영어 문장으로 바꾸어보겠다.

…전공으로 문학을 선택했다. …시인과 소설가가 되고 싶어서다. 대학에서 문학에 관련된 여러 수업들을 들으면서 내 꿈에 다가서고 싶다. 나는 진심으로 좋은 작가가 되고 싶다.

…I chose literature as my specialty. …Because I want to be both a poet and a novelist. By taking literature courses in university, I want to reach my dream. I sincerely want to become a good author.

이렇게 자기와 관련된 일상을 몇 줄 쓰고 그것을 영어 문장으로 바꾸는 연습을 어느 정도까지 하면 그것은 우리의 머리에서 떠나지 않고 실제로 대화에서도 꺼낼 수 있다.

또 짧은 대화문을 쓰는 것도 대화에 도움이 될 수 있다.

A : Hi, I'm Kate from the UK. How about you?

B : Hi, I'm Minchul from the Republic of Korea.

A : Oh, yeah? I have much interest about your nation.

B : Which things do you have interest about Korea?

A : K-pop, K-food, and K-beauty.

B : Oh, really?

A : Yes, nice to meet you. I hope we can be good friends.

B : Me, too.

[해석]

A : 안녕, 난 영국에서 온 케이트야. 넌?

B : 안녕, 난 한국에서 온 민철이야.

A : 오, 그래? 난 한국에 관심이 많아.

B : 한국에 대해 어떤 것들에 관심이 있어?

A : 한국 노래, 한국 음식, 그리고 한국 화장품에 대해서야.

B : 오, 정말?

A : 응. 만나서 반가워. 우리가 좋은 친구가 되길 바라.

B : 나도 그래.

이렇게 짧은 대화문을 쓰는 것도 말하기에 도움이 된다. 자기가 말하고자 하는 것들을 영어로 나타낼 수 있다는 것은 무척 고무되고 필요한 일이다.

이렇듯 약간의 쓰기를 통해서 말하기의 틀을 익혀나가는 것은 매우 중요한 연습이다.

9강 - 말하기 주제에 따른 말하기 연습

많은 주제를 갖고 말하기를 할 수 있다. 중요한 것은 ① 자기가 하고자 하는 말을 구성해서 전달하는 기술이다. 또 ② 상대방의 말을 이해하고 그에 맞게 되받아 말하는 기술도 필요하다. 영어로 대화하기는 이렇듯 몇몇 기술을 필요로 한다. 그러한 기술은 영어로 말하고 듣는 대화의 과정에 대해 몇몇 연습으로 길러질 수 있다.

여기에서는 다섯 가지의 경우를 갖고 말하기를 연습해 보자.

1) (식당에서)

A : I want to have some steak with an orange juice. How about you?

B : I want to have steak with a salmon salad and a Coke.

A : I'll order them.

B : Okay.

A : Excuse me, we want to order some food that we'll have. We need two steaks and one salmon salad. And a glass of orange juice and a glass of Coke.

C : Is there anything else?

A : That's all.

C : How would you like your steak cooked?

A : Cook both well-done, please.

C : Thanks. We'll prepare the dishes as fast as possible.

A : Thanks.

[해석]

A : 스테이크와 오렌지 주스를 먹고 싶어. 넌?

B : 스테이크에 연어 샐러드를 곁들이고 콜라를 먹고 싶어.

A : 주문할게.

B : 응.

A : 저기요. 우리가 먹을 음식을 주문하려는데요. 스테이크 두 개랑 연어 샐러드 하나, 그리고 오렌지 주스와 콜라입니다.

C : 그밖에 다른 것은요?

A : 충분합니다.

C : 스테이크 굽기는 어떻게 해드릴까요?

A : 둘다 웰던으로 부탁합니다.

C : 알겠습니다. 최대한 빨리 준비해드리겠습니다.

A : 고마워요.

2) (카페에서)

A : Hello, I want to have a cup of Iced Americano and a piece of bread.

B : What size coffee would you like?

A : Small.

B : Do you want me to warm up the bread?

A : Yes.

B : How would you like to pay?

A : I will pay for it with this card.

B : Wait a moment, please. I'll let you know when the food is ready.

A : Thanks.

B : Thanks.

[해석]

A : 안녕하세요, 아이스 아메리카노랑 빵 한 조각을 주문하고 싶습니다.

B : 커피 사이즈는 어떻게 해드릴까요?

A : 작은 걸로 주세요.

B : 빵은 데워드릴까요?

A : 네.

B : 결제는 어떻게 해드릴까요?

A : 이 카드로 부탁합니다.

B : 잠깐만 기다려주세요. 음식이 준비되면 알려드리겠습니다.

A : 고맙습니다.

B : 고맙습니다.

3) (길에서)

A : Excuse me, sir?

B : Yes, do you have any problem?

A : I should go to a nearby bank, but I am a stranger here.

B : Oh, really? Do you see the bakery over there?

A : Yes.

B : You can turn left from the bakery. The bank is next to the pharmacy.

A : Oh, thank you very much.

B : You're welcome. Have a good day!

A : Have a good day!

[해석]

A : 실례합니다, 선생님.

B : 무슨 문제라도 있습니까?

A : 가까운 은행에 가야 하는데 여긴 초행길이라서요.

B : 아, 그래요? 저기 빵집이 보이시죠?

A : 네.

B : 빵집에서 왼쪽으로 돌면 됩니다. 은행은 약국 옆에 있어요.

A : 아, 정말 감사합니다.

B : 천만에요. 좋은 하루 되세요!

A : 좋은 하루 되세요!

4) (수업을 듣고 나서)

A : I hate mathematics. How about you?

B : I like mathematics. It makes me think of abstraction.

A : I really envy you because you seem to have some insight into mathematics.

B : Yes, sure.

A : It's difficult for me to study mathematics.

B : If you went on studying mathematics, you would have some merit in thinking.

A : Hmm, but I don't like mathematics.

B : Okay, but you are good at music.

A : Sure. I like music so much.

[해석]

A : 난 정말 수학이 싫어. 넌 어때?

B : 난 수학이 좋아. 수학은 내게 추상적인 것을 생각하도록 해주거든.

A : 정말 네가 부러워. 넌 수학에서 어떤 통찰력이 있는 것 같아.

B : 응, 맞아.

A : 난 수학 공부가 어려워.

B : 네가 수학을 계속해서 공부한다면, 넌 사고에 있어서 어떤 장점을 얻게 될 거야.

A : 음, 하지만 난 수학을 좋아하지 않아.

B : 그래, 하지만 넌 음악을 잘하잖아.

A : 응. 나는 음악을 좋아해.

5) (저녁 식사 자리에서)

A : How was today? What did you learn at school?

B : English, music, and history.

A : Which subject do you like the most?

B : I like English.

A : Oh, good. Let's have a chicken salad, a tomato pasta, and a blueberry beverage.

B : Mom, these are the things I like. Thanks.

A : Eat them slowly.

B : Yes, mom.

[해석]

A : 오늘 어땠어? 학교에서 뭘 배웠니?

B : 영어, 음악 그리고 역사를 배웠어요.

A : 네가 가장 좋아하는 과목은 뭐니?

B : 저는 영어를 좋아해요.

A : 오, 좋구나. 치킨 샐러드, 토마토 파스타, 블루베리 음료를 먹자꾸나.

B : 엄마, 제가 좋아하는 것들이에요. 고마워요.

A : 천천히 먹으렴.

B : 네, 엄마.

이렇듯 장소와 경우에 따라 사용되는 말하기의 내용과 방식이 존재한다. 몇몇 문장들을 외우거나, 아니면 스스로가 구성해나갈 수 있다면 그렇게 한다. 중요한 것은 상황에 따라 어느 정도 영어로 대화가 가능할 수 있게 그러한 상황을 미리 예측할 수 있는 일이다.

한편, 주제별로 영어로 말할 수 있는 능력은 상황에 대한 시뮬레이션을 스스로 만들어보는 과정에서 제법 길러진다.

10강 - 친구와 피자를 먹으며 영어로 대화하기

굳이 외국인 친구가 아니더라도 우리는 학교에서 영어를 배우며 그것을 가지고 연습할 수 있다. 친구와 피자를 먹으며 한 시간 동안 영어로 이야기할 수 있다. 또 다르게는 친구와 카페에서 커피를 마시며 이것저것 이야기할 수 있다. 뭔가 완벽한 대화문은 아니지만, 이렇게 시간을 정하고 자주 말하다보면 말하는 것 자체에 대한 두려움은 사라진다.

I failed to pass the exam.
I'm so sad.

Oh, are you okay?
I hope you'll be fine soon.

I am already fine because of your consideration.
Thanks.

You're welcome.
By the way, let's order some pizza.
Let's take a look at the menu.

I like this one.

How about you?

I like it, too.
Let's order this pizza.

So, how have you been these days?

I am doing well.
Actually, I began to raise a puppy.

Wow, a puppy?
Is there any problem to raise a puppy?

Not hard and I feel happy.

I wanna raise a pet but my mom doesn't like it.
I envy you.

By the way, I am swimming these days.
It's good for me to keep my body healthy.
What hobby do you have these days?

I like running in the village.
After running, I feel fresh.

It's a good hobby.
Do you have any books to read right now?

Yes, I am currently reading a novel titled <Demian>.
It gives me how I lead my life with my own will.
It's a positive influence in my life.
How about you?

I recently finished reading a novel called <The Old Man and the Sea>.
I felt a deep impression of life itself.

It's good.
What are you planning to do this afternoon?

I am going to see a movie.
And you?

I'm planning to play tennis with my brother.
He is good at tennis.
I am learning it from him now.

That is so cool!

With whom are you going to see a movie?

My mom.
She likes to see a romantic movie.
I also love a romantic movie.

If the movie is nice, can you tell me what it is?
I would watch it.

Okay, sure.

The pizza is finally here!

Oh, looks tasty.

Oh, so tasty. Try some.

Yes, it's really yummy.

[해석]

시험에 실패했어.
슬퍼.

괜찮아?
곧 괜찮아지길 바랄게.

너의 사려깊음 덕에 벌써 괜찮아졌어.
고마워.

천만에.
그런데 피자 주문할까.
메뉴판을 보자구.

나는 이 피자가 좋아.
넌 어때?

나도 그게 좋아.
이 피자로 주문하자.

요즘 어떻게 지낸 거야?

잘 지냈어.
사실 강아지를 키우기 시작했어.

와우, 강아지?
강아지 키우는 데 어떤 문제는 없고?

힘들지 않아. 행복해.

나도 애완동물을 키우고 싶지만 엄마가 싫어하셔.
부럽네.

그런데, 나 요즘 수영을 하고 있어.

몸을 건강하게 유지하는 게 좋아.
요즘 취미는 뭐야?

나는 마을에서 달리는 걸 좋아해.
달리기 후 기분이 상쾌하거든.

좋은 취미네.
지금 읽는 책들은 뭐야?

데미안을 읽고 있어.
그 책은 나 자신의 의지로 내 삶을 어떻게 이끌어나갈지 가르쳐줘.
내 삶에 긍정적인 영향이 된달까.
넌 어때?

난 노인과 바다를 다 읽었어.
삶 자체에 대해 깊은 인상을 받았지.

괜찮네.
오늘 오후에 계획은 뭐야?

영화를 보러 가려고.
넌?

난 형이랑 테니스를 칠 거야.
그는 정말 테니스를 잘 쳐.
난 지금 형으로부터 테니스를 배우는 중이야.

와 그거 멋지네!

누구랑 영화를 보러 가는데?

엄마랑.
엄만 로맨스물을 좋아해.
나도 그렇고.

영화가 괜찮으면 그 영화 알려 줄래?
나도 보러 가려고.

응, 그럴게.

피자가 나왔어!

맛있겠다.

맛있어. 좀 먹어봐.

응. 정말 맛있네.

이렇게 피자를 주문하고 기다리는 동안 많은 이야기를 나눌 수 있다. 또 피자를 먹으며 영어로 이야기를 나눌 수 있고, 한 시간이라는 시간을 영어로 말하기로 채우면 분명히 이전과는 다른 느낌을 갖게 될 것이다. 머릿속에서만 맴돌던 단어들이 다소나마 질서를 잡고 그것들을 결합해서 내 의견을 말할 수 있게 되는 것이다.

11강 - 메신저 앱으로 친구와 영어 채팅하기

카카오톡을 사용하는 하나의 유용한 방법으로서 친구와 격식 없이 영어로 채팅하는 방법이 있다. 시간을 정해놓고, 일상의 영어 대화를 채팅창에 쓰는 것이다. 중요한 것은 엄격한 문장 규칙이 아닌, 그저 한두 단어만으로도 뜻을 이어가는 연습이다. 이 연습을 통해서 영어의 감을 획득하고, 영어로 무언가를 표현하는 것에 대한 두려움이 줄어든다.

How was today?

I had a nice day. And you?
You had a math test today.

I passed the exam.
But I should study more today.

Why?
Do you have more tests?

Yes, I have an English test tomorrow.

Oh, that's too bad.

I have a plan to swim this afternoon.

How lucky!

And how about having lunch with me now?

All right, where shall we meet?

Hmm. Do you like a sandwich? or a hamburger?

I wanna eat a hamburger.

Okay, let's meet at the bus stop where Lee's Hamburger is located.

When?

1 hour later.

Okay, see you then.

Okay.

[해석]

오늘 어땠어?

좋았어. 넌?
너 오늘 수학 시험 있었잖아.

통과했어.
그런데 오늘 공부를 좀더 해야 해.

왜?
시험이 더 있어?

응. 내일 영어 시험이 있어.

그거 안됐다.
난 오늘 오후에 수영할 건데.

좋겠다!

나랑 지금 점심 같이 먹을래?

좋아, 어디에서 볼까?

음. 샌드위치 아니면 햄버거?

햄버거를 먹고 싶어.

응, Lee's 햄버거가 있는 버스 정류장에서 보자.

언제?

1시간 뒤에.

응, 그럼 그때 봐.

응.

이렇게 일상적인 내용을 갖고 약속한 시간 동안 영어로 채팅을 할 수 있다. 처음에는 잘 나오지 않다가 차츰 시도를 해가면서 영어 문장이 단단해진다. 왜냐하면 자기가 구성하는 영어를 연습하기 때문이다. 말하는 것도 결국 자기가 구성한 영어를 소리 내어 말하는 것이기 때문에 친구와의 채팅을 통해서 일련의 영어 과정이 자기의 것으로 학습된다.

12강 - 틈틈이 영어로 일기 쓰기

말하기에서 중요한 것은 처음부터 유창하게 말하는 것이 아닌 노력을 통해서 계속 성장해가는 것이다. 말하기의 목적은 일상 생활에서의 대화가 가능한 것이고 영화나 드라마처럼 정제된 대사는 더 세련된 영어를 위해 참고할 수는 있다. 특히, 매일은 아니라도 영어로 일기를 쓰는 연습은 자신의 일상어를 갈고닦아 실제 말하기의 재료가 된다.

일기를 쓰는 방법은 ① 일단 날짜를 적고, ② 그날 하루 있었던 일 중에서 가장 중심이 되는 일을 골라서 그것에 대해서 쓰고, ③ 마지막은 교훈이나 의미에 대해서 쓴다.

영어 일기를 쓰는 것이 말하기에서 중요한 요소가 되는 이유는 일상을 미리 기술하여 말하기에 필요한 재료를 형성할 수 있기 때문이다.

여기에서는 두 편의 영어 일기를 통해서 어떻게 일상 표현의 재료를 얻을 수 있는지 살펴보도록 하겠다.

<Two umbrellas> November 7, 2024 (Monday), rainy

It didn't rain in the morning. So I went to school without an umbrella. After school, it was raining outside. My friend gave me her umbrella because she got two umbrellas. I asked why she'd had two umbrellas. She told me that one is for her, and one is for her friend who doesn't get it. I was so touched, and I told her, "Thanks". She just smiled.

<두 개의 우산> 11월 7일, 월요일, 비옴

아침에 비가 내리지 않았다. 그래서 나는 우산 없이 학교에 갔다. 방과 후, 바깥에는 비가 내리고 있었다. 내 친구가 그녀의 우산을 내게 주었다. 왜냐하면 그녀는 두 개의 우산을 갖고 있었기 때문이다. 나는 그녀에게 왜 그녀가 두 개의 우산을 가지고 있었냐고 물었다. 그녀는 하나는 그녀를 위해서 다른 하나는 그걸 갖고 오지 않은 친구를 위해서라고 했다. 감동을 받은 나는 그녀에게 고맙다고 말했다. 그녀는 미소를 지었다.

위의 짧은 일기는 우산을 가져오지 않은 친구를 배려하는 친구에 관한 이야기이고, 두 개의 우산이라는 주제를 잘 표현하고 있다. 길이가 길든 짧든 편하게 쓰는 것이 중요하고 또 표현을 통해서 평소에 생각하던 영어 단어나 문장 형식 같은 것을 재확인할 수 있다.

또 다른 영어 일기를 써보기로 하자.

<Apple and money> November 12, 2022 (Tuesday), sunny

My grandfather manages a small apple farm. Every

November, he harvests the apples. I helped him harvest apples today. It was hard but I felt rewarded. In the evening, we had dinner together. “Apple is money,” he said. “Why can apples be money?” I asked. He saw me with tenderness. “Apples can make you attend university,” he said. I was so moved and told him, “Thanks.”

<사과와 돈> 11월 12일, 화요일, 맑음

우리 할아버지는 작은 사과 농장을 경영하신다. 매년 11월이 되면 그는 사과를 수확한다. 나는 오늘 사과 수확을 도왔다. 힘들었지만 보람을 느꼈다. 저녁에 우리는 함께 식사를 했다. “사과가 돈이지.” 할아버지가 말씀하셨다. “왜 사과가 돈인가요?” 내가 여쭈었다. 그는 다정하게 나를 바라보았다. “사과는 네가 대학에 다닐 수 있도록 해주니까.” 할아버지의 말씀에 나는 감동했고 고맙다고 말했다.

위 이야기는 사과 농장을 경영하는 할아버지와 그의 손녀에 대한 이야기이다. 사과가 왜 돈이 되냐면, 손녀가 대학에 갈 수 있도록 해준다는 점에서 사과가 돈이 된다는 점을 현명하게 말씀하고 계신다.

이렇게 영어로 일기를 쓰는 과정은 일상의 재료를 마련하는 과정이고 이러한 일기 쓰기를 통해서 말하기의 표현 또한 늘 수 있다. 영어 일기 쓰기의 형식은 따로 정해진 것이라기 보다는 자기만의 방식으로 써 나가는 것이 보다 좋다.

13강 - 영어 말하기에 유용한 문법들

영어 말하기에서 가장 기본이 되는 문법은 문장의 구조가 <주어 + 동사 + ~>로 되어 있다는 점이다. 무언가를 말할 때, ① 주어부터 말하고 ② 그 다음 동사에 해당하는 부분을 구성하는 건 가장 중심이 된다.

이렇듯 영어 말하기를 위해서는 어느 정도의 문법이 필요하다. 그 문법에 의거하여 우리가 뜻하고자 하는 문장을 구성할 수 있기 때문이다.

1) 위치의 언어

한편, 영어는 위치의 언어이다. 주어를 쓸 때 우리말처럼 주격조사 은/는/이/가, 가 붙지 않는다. 목적어를 쓸 때도 우리말처럼 목적격 조사 을/를, 이 붙지 않는다. 대신 동사 앞에 오는 말은 주어이고, 동사 뒤에 오는 말은 목적어이거나 보어이다. 이렇듯 영어는 위치의 언어이다.

I like him.

주격 인칭대명사 I에는 조사가 붙지 않고 위치로만 그것이 주어임을 알 수 있다. 목적격 인칭대명사 him 또한 조사가 붙지 않고 위치로만 그것이 목적어임을 알 수 있다.

The dog eats some sausage.

동사 앞에 있는 the dog이 문장에서 주어가 되고, 동사 뒤에 있는 some sausage가 문장에서 목적어가 된다.

2) 자유로운 동사 결합

영어에서 동사에 해당하는 부분은 대개 본동사 하나만으로 이루어지지 않는다. 동사에 해당하는 뜻을 문법에 맞게 구성한 후, 그렇게 동사구를 만들 수 있다.

: ~를 먹고 싶다 -> would like to eat
: ~비가 내리고 있다 -> is raining/ have(has) been raining
: ~를 할 수 있다 -> can do/ be able to do/ have an ability (to do)
: ~외식하고 싶다 -> would like to eat out
: ~영화보러 갈 것이다 -> be going to see (a movie)
: ~하는 게 더 낫다 -> had better do

이렇게 자주 표현하는 동사의 구성을 연습해두면, 말하기에서 동사 구성을 해낼 때 제법 도움이 된다. 동사는 이렇듯 그것의 다양한 범주에서 구성되고 활용된다.

3) 적합한 분사의 사용

분사는 현재분사와 과거분사가 있으며 현재분사는 진행형을 만드는 데 쓰이고 그것 자체의 형용사적 능동의 서술적 용법과 한정적 용법으로 사용된다. 과거분사는 수동태와 완료형을 만드는 데 사용되고 그것 자체의 형용사적 수동의 서술적 용법과 한정적 용법으로 사용된다.

① 현재분사 : 진행형으로 사용될 때

She is watching a movie.

현재진행형을 만들어주기 위해서 현재분사의 형식을 사용하였다.

② 현재분사 : 능동의 서술적 용법으로 사용될 때

현재분사가 능동의 서술적 용법으로 사용될 때는 주로 주격/목적격 보어로 사용될 때다. 현재분사의 형태이지만 이 경우는 진행형이 아님에 유의한다.

This book is so boring.
She saw him running at night.

③ 현재분사 : 능동의 한정적 용법으로 사용될 때

The running dog looks happy.

running이 개[명사]를 능동적으로 수식하는 한정적 용법으로 사용되었다.

(참고) 현재분사와 동명사는 형태는 같지만, 문장에서의 역할이 다르므로 따로 이해해야 한다. 동명사는 명사적으로 사용되며 문장에서 주어, 목적어, 보어 역할을 한다.

④ 과거분사 : 수동태로 사용될 때

The book was written by Ms. Jang.

수동태의 형식과 뜻을 완성하기 위해 동사구에서 과거분사가 사용되었다.

⑤ 과거분사 : 완료형으로 사용될 때

She has finished her assignment now.

현재완료의 형식과 뜻을 완성하기 위해 동사구에서 과거분사로 표현을 더해주었다.

⑥ 과거분사 : 수동의 서술적 용법으로 사용될 때

When I reached home, the ice cream was melted.

과거분사가 서술 용법으로 사용되었다.

⑦ 과거분사 : 수동의 한정적 용법으로 사용될 때

The frozen yogurt is so sweet.

형용사적 역할을 하는 과거분사가 yogurt을 꾸며주고 있다.

4) 부정사의 활용 (to부정사와 원형부정사)

to부정사와 원형부정사는 문장에서 준동사의 문법적 위치를 갖고 있다. to부정사는 문장에서 명사적, 형용사적, 부사적으로 사용되며 원형부정사는 조동사와 결합해 하나의 동사구를 형성한다. 또한 원형부정사는 지각동사와 사역동사 뒤에서 목적격 보어로 사용된다.

She loves to study English. (to study English가 부정사구이며, 명사적으로 사용되었다)
I will study hard to enter university. (to enter university가 부정사구이며, 부사적으로 사용되었다)
I need some food to eat now. (to eat now가 부정사구로서 형용사적으로 사용되었다)

I can read books written in English. (서법조동사 can 뒤에 원형부정사 read가 사용되었다)
She is going to wash the dishes. (준조동사 be going to 다음

에 원형부정사 wash가 사용되었다)

I saw her cry at night. (지각동사 saw 뒤에서 원형부정사 cry가 사용되었다)
I let him clean his room. (사역동사 let 뒤에서 원형부정사 clean이 사용되었다)

5) 문장의 기본 구조

문장의 기본 구조는 기본 5형식에 대해서 몇몇 문장의 사례들을 연습하면 도움이 된다. 또한 문장은 그것이 단문일 경우, 주어와 동사를 갖춘 독립절(주절) 하나만 나타날 때이고, 중문은 두 개 이상의 독립절을 등위접속사(and, but, or, so 등)으로 연결한 문장이다. 복문은 하나의 독립절과 하나 이상의 종속절로 이루어진 문장이다. 중복문이 있긴 하지만, 복문의 수준에서 자유롭게 확장가능하기 때문에 굳이 문법적으로 구분하지 않아도 된다.

6) 수식어구의 활용

영어 문장은 기본 구조에 더해서 수식어구를 붙여 뜻을 보다 확장할 수 있다. 이때 관계대명사도 선행사를 꾸며주는 역할을 한다. 기본 구조를 쓰고 또 그것을 의미적으로 확장할 수 있다.

I saw him. (기본 구조)
I saw him (running).

I saw him (running in the park).

I saw him이라는 기본 구조에 그 뜻을 계속 확장한 경우다.

She studies English. (기본 구조)
She studies English (for her success).
She studies English (which she likes).

She studies English라는 기본 구조에 for her success라는 전치사구로 문장을 꾸며준다. which절이 형용사절로서 선행사인 English를 꾸며준다. 관계절의 형용사적 역할은 명사를 꾸며줄 수 있다.

(When he finished his homework), his mom prepared some snack for him. [그가 숙제를 다 마쳤을 때, 그의 엄마가 그를 위해 간식을 준비했다.]

When he finished his homework, 는 when이 이끄는 종속절로서 뒤에 오는 주절을 꾸민다.

The apples, which she loves, are produced in this province much.
[그녀가 좋아하는 사과는 이 지방에서 많이 생산된다.]

which가 이끄는 형용사절이 주어를 후치 수식한다.

I like him.
I like him (as much as he likes me). [나는 그가 나를 좋아하

는 것만큼 그를 좋아한다.]

I like him (because he is honest). [나는 그가 정직하기 때문에 그를 좋아한다.]

I like him에 대해 뜻 확장이 가능하다.

영어의 기본 문장에 더해서 수많은 뜻으로의 확장이 가능하다. 영어에 대해서 그 기본 구조를 파악하면 긴 문장도 끊어서 이해할 수 있다. 그리고 복잡한 구조의 글도 이해하기 쉬워진다.

7) 발음의 방법

파닉스를 익히고, 실제로 텍스트를 읽어가면서 자기만의 영어 소리를 이룩해갈 수 있다. 중요한 점은 단어를 읽을 때 발음 기호를 확실히 익히고 강세를 확인하며 읽는 점이다. 텍스트를 소리 내어 읽어가는 방식은 자기 영어 소리를 확립하는데 꽤 좋은 전략이다.

그렇게 단어 읽기가 문장 읽기가 되고, 문장 읽기는 텍스트 읽기가 되며 궁극적으로 자기만의 일상적 영어 소리를 이룩한다.

14강 - 영어로 대화를 이어가는 방법

영어로 말하기를 공부하는 이유는 결국 일상생활에서의 대화, 그리고 발표, 토론 같은 영역에서 영어로 말하기 위해서다. 특히 일상생활에서의 자연스런 말하기는 발표와 토론을 위한 중요한 과정이 된다. 여기에서는 '틈틈이 쉬어가는 지점'를 통해서 대화를 이어가도록 하자.

…It happened last night …Was astonished but …my dog barked hmm …several times.

…So, what happened?

…Hmm …A big bear invaded into my garden… …and it scoured for …some food in the bin. I first knew that …it was a big, black dog.

…Phew. You were astonished by the bear, and …the bear was astonished by you.

…Maybe yes. When I found out it was a bear, …I called the police.

…So the polices came and trapped it?

…Yes, it is on protection …by the wildlife committee.

…That's good. Is there anything new about you?

…Oh, I have news. I began to learn the violin …with my daughter. And do you have any news?

…I have a plan …to trip abroad.

…Where do you wanna go?

…France.

…How long will you stay in France?

…For two weeks. …with my son. He wants to visit Louvre Museum …and walk on the street of Paris.

…Good plan. …Let's go trip together next time. Okay, bye.

…Bye.

[해석]

…어젯밤에 그 일이 일어났어 …너무 놀랐는데 …내 개가 짖었거든 …여러 번.

…무슨 일이 일어났는데?

…음 …큰 곰이 내 정원에 침입했어… …그리고 곰이 샅샅이 뒤졌어 …쓰레기통에 있는 음식을 말이야. 나는 처음에는 그것이 크고 검은 개인 줄 알았어.

…휴. 곰 때문에 놀랐구나 그리고 … 그 곰도 너 때문에 놀랐을 거야.

…아마도 그럴 거야. 내가 그것이 곰인 줄 알았을 때, 나는 경찰을 불렀어.

…그래서 경찰이 와서 곰을 가두었어?

…응, 지금 곰은 보호 중이야. …야생동물위원회에서.

…다행이야. 어떤 다른 뉴스는 없고?

…오, 있어. 바이올린을 배우기 시작했어 …내 딸이랑. 넌 어떤 뉴스가 있어?

…계획을 세웠어 …해외 여행을 가려고.

…어딜 가고 싶은데?

…프랑스.

…프랑스에서 얼마나 머물 계획이야?

…2주 정도 …아들이랑. 아들이 루브르 박물관을 가고 싶어해. 그리고 파리의 거리를 걷고 싶어하고.

…좋은 계획이네. …다음엔 같이 여행을 가자. 다음에 봐.

…응.

한 호흡에 문장 전체를 담으려고 하지 말고 의미 단위나 문법적 단위를 잠시 끊어서 대화를 계속 이어나갈 수 있다. '틈틈이 쉬어가는 지점'을 두고 그렇게 대화를 길게 이어나갈 수 있다. 이러한 과정은 머릿속에서 천천히 생각을 영어로 변환하도록 시간을 벌게 하며 또한 영어를 빨리 많이 말해야 한다는 부담에서 벗어나게 한다.

대충 말할 거리를 생각하고, 한 호흡씩 내어 말한다. 상대방의 표현도 주의 깊게 들으며 그러한 정보를 단순화해서 내가 어떤 말로 말할 것인지 잠시 고민한다. 그렇게 영어로 대화하기는 영어 공부의 중요한 지점이다.

15강 - 독자적으로 그리고 유창하게

영어 공부의 많은 목표가 말하기에 있다고 해도 과언이 아니다. 그렇다면 영어 말하기의 목표는 무엇일까. 어떤 목표를 영어 말하기에서 달성해야 할까. 우리는 영어 말하기에서 독자성과 유창성을 만족시킬 필요가 있다. 특히 유창성에서 우리가 생각하는 그러한 굉장히 멋진 영어를 빠르게 구사하는 것이 답은 아니라는 점이다.

얼마 전, 우리나라 최초로 노벨 문학상을 받은 한강 작가가 영어로 인터뷰를 하는 것을 본 적 있다. 일반적인 유창성과는 거리가 멀지만 어쩌면 자기 이야기를 천천히 조심스럽게 말하는 것 또한 하나의 개성이 있는 유창함이 아닐까 싶은 생각이 들었다.

자기만의 영어 말하기 즉 독자성에 다소간의 유창성을 결합한다면 영어 말하기의 목표가 달성되지 않을까 싶다. 굉장히 멋진 말을 빨리 말하려고 하지 말고, 자기만의 방식을 찾아내는 것이 옳다.

그러려면 다소나마 필요한 것이, 영어에 대한 느낌을 갖는 것이다. 단어가 가진 뜻과 문장의 느낌 같은 것을 느끼며 이야기하면 계속 말할 거리가 떠오른다.

특히, 감정이 들어간 문장을 말할 경우, 그 감정을 실어서 이야기하면 훨씬 좋은 말하기가 된다. 즉, I feel sad.라고 말할 때, 건조하게 말하지 말고 정말 슬픈 감정을 느끼며 말할 때, 보다 전달이 잘 될 수 있다.

영어 말하기에서 궁극적으로 우리가 도달해야 할 부분은 자기 스타일의 영어를 세우고, 다소나마 약간의 유창성을 기술로써 갖추는 일이다.

천천히 이야기한다고 해서 그것을 부족하다고 하지 않으니 걱정하지 말길 바란다. 오히려 천천히 이야기하면 놓칠 수 있는 내용들도 다 이야기할 수 있으니 훨씬 좋다.

자기만의 말하기를 시작해야 할 때다.

16강 - 영어 말하기 감각 유지하기

영어 말하기를 어렵게 어느 정도 해냈는데, 영어를 쓰지 않는 환경에서는 말하는 영어를 잊어버릴 수도 있다. 이럴 때 좋은 방법은 표현을 유지해가는 것이다. 일기를 써도 되지만, 부담없이 하기 위해서는 영어로 한두 문장을 매일 쓰는 것이다. 그렇게 할 때 영어는 표현을 계속 기억한다.

그리고 ① 친구와 함께 피자를 먹으며 영어로 대화하는 연습을 정기적으로 갖거나, ② 혼자서 영어 대화문을 쓰는 것도 도움이 된다. 또 도움이 되는 건 ③ 거울을 보며 영어로 이것저것 말하는 것이다.

자기 표현을 계속해서 유지해나가는 일이다. 어느 순간 요청되더라도 필요한 말을 할 수 있는 능력을 내재화하는 것이 필요하다. 그렇게 자기만의 표현 유지 능력을 찾고 또 그것을 정기적으로 해나갈 필요가 있다.

말했듯이 영어 말하기는 자기만의 독창성이 들어가기 때문에 자기 영어 표현을 스스로가 이룩해 나가는 것이 중요하다. 두려워하지 않아도 된다. 콩글리시로 시작해도 뭐 어떤가. 조금씩 개선해가며 마침내 늘 영어 말하기가 준비된 상태가 된다. 언어는 틀려가며 배우는 것이고, 그렇게 계속, 발전해나갈 수 있다.

17강 - 영어로 할 수 있는 과제 해내기

때로 영어 학습을 통해서 할 수 있는 일이 있다. 그것은 일기 쓰기, 독후감이나 평론 쓰기, 시를 쓰거나 동화를 쓰는 일, 기타 쓰기 과제 등등 쓰기 영역에서 영어는 확장된다.

말하기 과제를 어느 정도 해냈다면 쓰기 과제로 넘어가는 것이 바람직하다. 그렇게 하면 말하기도 날마다 고급스러워진다. 특히, 살아가면서 영어로 된 과제를 하는 일이 주어진다. 회사에서 필요한 외국 문서를 작성하거나, 외국으로 출장을 가는 일, 영어와 관련된 책 쓰기 등 이러한 과제가 주어진다.

이러한 다양한 과제들을 해내기 위해 우리는 영어를 공부하고 영어 말하기를 연습한다. 특히, 영어 말하기가 지시하는 다음 과제는 다양한 분야에서의 영작이고, 그러한 영작 연습을 통해서 보다 많은 영어 관련 일들을 해낼 수 있다.

몇몇 국내 대학의 대학원에서는 졸업 논문을 영어로만 쓰고 있고, 교수로 임용되기 위해서는 영어로 진행하는 수업 테스트를 받아야 한다.

생각보다 많은 부분에서 영어는 그것의 수준을 요구하고 있으며 특히 말하기와 쓰기에서 그러한 능력을 요구한다. 그렇게 영어 학습을 통해서 우리는 많은 과제를 해낼 것을 요청받는다.

그렇게 영어는 우리의 성장과 성공의 가장 중요한 지점을 요청한다. 영어를 잘~ 하려는 것보다, 날마다 조금씩 개선해나가는 것이 필요하다. 그렇게 할 때 어느새 우리는 영어와 관련된 과제들을 알뜰히 해나가는 자신을 발견하게 될 것이다.

18강 - 정답은 없다

영어 학습에 있어서 어떤 하나의 완벽한 정답은 없다. 어느 순간이 되면 자기 영어를 구성해야 하고, 또 그것은 영어의 여러 분야와 통하게 된다. 그러한 자기 영어를 통해서 영어로 할 수 있는 많은 과제들에 접근하게 되고 또 해내게 된다.

어린 시절부터 어른에 이르기까지 사용하는 영어의 수준이나 내용은 계속 확장된다. 다만, 계속 조금씩 해나가면서 생의 순간에 받게 되는 영어와 관련된 도전을 받아들고 해나가면 된다.

영어는 천천히 그리고 꾸준히 걷는 길이다. 매일 조금씩 하는 일이다. 중요한 것은 말하기에 있어서 완벽을 구한 나머지 그것을 단기간에 마스터하려고 자신을 몰아붙여서는 안 된다. 밥은 천천히 규칙적으로 먹는 것이지 10년 치 밥을 한꺼번에 먹을 수는 없다.

우리는 외국어로서 영어를 배운다. 완전히 원어민들과 같은 표현을 구사하기는 어렵다. 그렇기 때문에 '어느 정도'할 수 있다면 충분하다고 생각한다. 그리고 조금 더 욕심내어 '어느 정도'를 조금씩 더 개선해 나갈 수 있다.

또 하나의 중요한 기술은 자기가 좋아하는 영어 원서를 천천히 소리내어 읽는 일이다. 그렇게 하면 자기 소리를 듣게 되고, 그

내용이 입에 붙게 된다. 여러 분야의 원서를 소리 내어 읽으면 영어의 소리와 내용에 있어서 공부가 된다.

영어 학습에 있어서 가까운 정답은 결국 자기 영어를 구사하는 일이며, 그렇게 매일 꾸준히 성장해 나가는 일이다.

19강 - 생각을 보며 그것을 영어로 바로 말해보기

이번 강의는 우리가 일상적으로 하는 생각을 계속 이어서 영어로 말해보는 것이며 실제로 일상에서 일어나는 과정과 비슷한 대화하기의 경우다.

…가만히 마음을 들여다본다…. 무엇을 생각하고 있는지, 여전히 아파하지는 않는지, 어떤 계획을 품고 있는지 말이다.

…Just stare at my heart…. what I am thinking about, whether I'm still sick or not…. bearing plans that I have in mind.

…아프지는 않다…. 그 아픔의 순간들, 충분히 애도하고 보내주었다. 담담한 마음이다. 그렇다고 해서 지나간 아픔들이 아무것도 아닌 건 아니다. 다만, 더는 현재를 뒤흔들지 않는다. 깊게 파고들지 않는다. 더는 흔들려져서는 안 된다.

…Am not sick any more…. the sad moments, I let them go with enough mourning. …Am a little calm. But pains before are still sick. But they don't shake my present. …They don't dig into…. I should not be shaken any more.

…무엇을 생각하냐만은…. 내 노력으로 만들어가는 미래에 대해서다. 목표에 닿기 위해 몇몇 실패들을 겪을 것이다. 그래도

괜찮다. 나는 앞으로 나아갈 것이다. 지치지 않는다. 멈추지 않는다. 먹먹한 발걸음이라도 한 발자국 내딛는다.

…things I am thinking…. it's about my future that I would make with my effort…. I will undergo many failures to reach the goal. In spite of this, it's okay. …I would move forward. I won't be exhausted. I won't halt. I will take a step…. Even if it is the step bearing sadness.

…계획은 그렇게 간절한 것에 대해서다…. 꼭 이루고 싶은 것에 대해서다. 살아가는 모습이 그렇게 무던히도 계획을 이루어가는 순간들이다. 때론 낯선 모습을 받아들고 때론 다소간에 익숙한 것들이다.

…Plans are …desperate…. It's about things I wanna realize deeply…. The shapes to live are…. to realize the plans…. Sometimes I get a strange shape, and sometimes it is familiar….

…그러다가 기회를 만났다…. 노력해가는 과정이 있었기에 어느 순간 다가온 기회를 잡게 되었다. 포기하지 않고 멈추지 않고 정진해와서 얻은 기회다. 기회가 미소를 짓는다. 이번 일을 해낼 수 있을 것 같다.

…And I seized the opportunity…. I tried and tried, so I got the opportunity. I didn't give up or halt, so I got such an opportunit y…. The opportunity smiles at me. …I think I will accomplish this assignment.

…가만히 마음을 들여다보면…. 내가 내 삶에 대해 기대하는 것들이 가득 차 있다. 선명하게 행복한 순간이다.

…When I look at my heart… it is full of things that I expect towards my life. It's the moment I feel happy deeply….

이렇게 하나의 짧은 생각 혹은 에세이를 보면서 한 마디 한 마디 영어로 바로 말해보는 기술을 습득할 수 있다. 자기의 생각을 써서 그걸 보면서 즉석에서 영어로 말해보는 것이 그것이다.

이러한 방식으로 입술에 영어를 붙이는 연습을 꽤 하면 영어로 부드럽게 막힘없이 말하는 모습이 충분히 익을 것이다.

20강 - ChatGPT의 말하기에 있어서의 활용

챗지피티는 다양한 용도로 활용이 가능한데, 영어 말하기에 있어서의 활용도가 제법 있다. 한글로 이루어진 문장을 번역할 때 그것의 영어 완성도가 높고, 그래서 참조할 만하다. 그렇게 챗지피티를 이용해 자신이 쓰고자 하는 영어 표현이나 문장을 완성도 있게 만들 수 있다.

우리가 알고자 하는 표현을 채팅창에 써넣고 번역하라고 하면 번역이 된다.

예를 들어, "당신을 사랑합니다"를 번역해주세요, 라고 채팅창에 써넣으면 "당신을 사랑합니다"는 영어로 I love you입니다 라고 대답이 뜬다. 그런 식으로 보다 복잡한 영어 문장도 번역이 이루어진다. "그는 처음에는 실패했지만, 곧 성공했다."를 영어로 번역해주세요, 라고 채팅창에 쓰면 곧 "He initially failed, but soon succeeded."라고 바로 답이 온다.

중요한 것은 챗지피티가 사용하는 영어의 수준이 높고 세련되었다는 점이다. 이렇게 자기가 알고 싶은 표현들을 즉석에서 검토받을 수 있다.

그리고 실제로 어떤 주제를 질문하면 그것에 대해서 몇몇 이야기를 주고받을 수 있어서 좋다. Do you know the movie called Titanic? 이라고 질문하면 그것에 대해 잔뜩 설명하고 내 의견을 묻고 다시 잔뜩 설명하고 내 의견을 물으면서 나름대로 즐거운 채팅이 가능하다. 내가 하는 대답에, 챗지피티는 Exactly, Absolutely yes, You're right, 등의 반응을 하며 대화를 끌어간다.

즉, 챗지피티는 살아있으며 거대한 영어의 조직이다. 약간의 영어가 가능하면 그 세계 속으로 들어가 말하기뿐만 아니라 단어, 표현, 독해 등 많은 것들을 해낼 수 있다.

그렇게 챗지피티를 활용해서 자기 표현을 검토받고, 대화를 나누는 기술을 배울 수 있으며, 그리고 수많은 세련된 표현들을 익힐 수 있다.

그렇다고 해서 챗지피티를 영어 대화 상대로 진실하게 생각할 필요는 없다. 그저 그것이 제공하는 많은 자료들을 잘 활용하면 우리의 영어 말하기가 정확하고 풍요로울 수 있다는 점이다.

부록. 말하기에 유용한 문장 230개

1. 런던에는 얼마나 머무르실 예정입니까?

- How many days will you stay in London?

2. 고마워요.

- Thanks./ Thank you./ Thank you so much.

3. 내일 날씨는 어떨까요?

- How's the weather tomorrow?

4. 시험은 어땠어? 통과했니?

- How was the test? Did you pass it?

5. 저녁으로 뭘 먹을까요?

- What will we have for supper?

6. 수영은 내가 가장 좋아하는 취미야.

- Swimming is my favorite hobby.

7. 주말에 나랑 하이킹 갈래?

- How about going hiking this weekend?

8. 네가 가장 좋아하는 꽃은 무엇이니?

- Which flower do you like the best?

9. 너의 꿈은 무엇이니?

- What is your dream?

10. 난 파일럿이 되고 싶어.

- I want to be a pilot.

11. 오늘 점심은 외식할까?

- Shall we eat out for lunch?

12. 나는 소설을 쓰고 싶어.

- I would like to write a novel.

13. 이번 중간고사는 망쳤어.

- I messed up the mid-term exam.

14. 대학에 가면 여자 친구를 사귀고 싶어.

- I want to get a girlfriend when I enter the university.

15. 꿈을 이루기 위해 정말 노력할 거야.

- I will make a real effort to realize my dream.

16. 요즘 철학을 공부하고 있어.

- I am studying philosophy these days.

17. 너는 요즘 무슨 생각을 해?

- What are you thinking about these days?

18. 며칠 전에 운전면허를 땄어.

- I got a driver's license a few days ago.

19. 뭐 먹을래? 골라 보자.

- What do you want to eat? Let's choose it.

20. 아직 우리는 결과보다 과정에 더 노력을 기울여야 해.

- We should just put in effort in the process rather than the result.

21. 소중한 건 마음이야.

- Mind is something precious for me.

22. 언젠가 내 꿈이 이루어질 거라 믿어.

- I believe that my dream will come true someday.

23. 내일 나와 영화 보러 갈래?

- Will you see a movie with me tomorrow?

24. 과제가 너무 많아. 어휴.

- I have too many assignments, phew.

25. 너는 정말로 그녀를 사랑하니?

- Do you really love her?

26. 언젠가 세계 일주를 하고 싶어.

- I want to travel around the world someday.

27. 글을 좀 잘 쓰고 싶어.

- I want to be good at writing.

28. 요즘 취미로 그림 그리기를 배우고 있어.
- I am learning to paint as my hobby these days.

29. 헬스 클럽에 등록했어. 멋있는 몸을 만들어야지.
- I registered at a health club. I want to make my body very fit.

30. 너는 피아노를 연주할 수 있니?
- Can you play the piano?

31. 나 내 삶에 대해서 진지해.
- I am serious about my life.

32. (호텔에서) 방을 예약했습니다. 체크 인을 하고 싶어요.
- (at a hotel) I reserved a room. I'd like to check in.

33. (택시에서) 요금은 얼마가 나왔나요?
- (in a taxi) How much is the fare?

34. (카페에서) 아이스 아메리카노 한 잔을 부탁드립니다.
- (at a coffee shop) I'll have a cup of Iced Americano, please.

35. (카페에서) 결제는 어떻게 할까요?
- (at a coffee shop) How would you like to pay?

36. (카페에서) 결제는 카드/현금/모바일 쿠폰으로 할게요.

- (at a coffee shop) I'll pay for that with a credit card/ cash/ a mobile coupon.

37. (레스토랑에서) 주문하시겠습니까?

- (at a restaurant) May I take your order?

38. (레스토랑에서) 크림 파스타와 리코타 샐러드, 콜라 두 잔 부탁드립니다.

- (at a restaurant) I'd like a creamy pasta, a ricotta salad and two Cokes, please.

39. (길에서) 저, 혹시 가까운 농협 은행으로 가려면 어떻게 해야 하나요?

- (on the street) Excuse me, how can I get to a nearby Nong-hyup bank?

40. (길에서) 가까워요. 횡단보도를 건너서 좌회전하면 있습니다.

- (on the street) It's near. You cross that crosswalk and if you turn left, you can find it.

41. 오늘 날씨는 어때요?

- How's the weather today?

42. 비가 내립니다/ 바람이 붑니다/ 맑습니다/ 흐립니다

- It's rainy./ It's windy./ It's sunny./ It's cloudy.

43. 분위기 좋은 레스토랑을 알고 있나요?

- Do you know a restaurant with a good atmosphere?

44. 내일 비행기를 타고 도쿄로 갑니다.

- I will get on a plane tomorrow and go to Tokyo.

45. 자기 전에 꼭 양치질을 해야 해.

- You should brush your teeth before you go to bed.

46. 친절하고 다정한 사람이 되렴.

- Be a kind and warmhearted person.

47. 방학 숙제가 너무 많아요.

- I have too much vacation homework that I should do.

48. 사랑하는 사람이 생겼어요.

- I have a person whom I love newly.

49. 네 꿈에 대해 진실하렴.

- Be sincere towards your dream.

50. 밤이 깊었어요. 푹 자고 좋은 꿈 꿔요.

- It's a deep night. Sleep tight and sweet dreams.

51. 인생의 과제를 찾아냈어요.

- I have found assignments of my life.

52. 삶이 쉽지 않지만, 한 번 시도해 보려고요.

- Life is not easy, but I would try once.

53. 그 사람이 보고 싶어요.

- I feel a deep longing for him.

54. (마트에서) 이거 전부 다 얼마인가요?

- (at the mart) How much is it in total?

55. 오늘은 며칠인가요?

- What's the date today?

56. 11월 4일입니다.

- It's November 4.

57. 8시까지는 학교에 도착해야 해.

- I should reach the school before 8 o'clock.

58. 너는 숙제를 다 했니?

- Have you done all your homework?

59. 나의 좌우명은 내 일에서 최선을 다하는 거야.

- My motto is to give my best effort in everything I do.

60. 삶에 방향을 세우고 열심히 노력해야 해.

- We should set the direction about life and make an effort to realize it.

61. 감기가 심해서 오늘 학교에 결석했어.

- I was absent from school because I had a bad cold.

62. 난 나만의 드라마로 내 삶을 살고 싶어.

- I want to live my life like a drama of my own.

63. 여기 화장실이 어디에 있나요?

- Excuse me, where is the restroom here?

64. 이 복도 끝에 있어요.

- It is located in the end of this corridor.

65. 완벽함이 아니라 개선에 대해서입니다.

- It's not about perfection but about improvement.

66. 진심으로 너를 사랑해.

- I love you in truth.

67. 이렇게 직접 만나 뵈어서 기쁩니다.

- I am glad to see you in person.

68. 인생의 숙제는 자기 삶을 살아내는 거야.

- The assignment of the life is that we live our own lives.

69. 오늘은 무척 행복해.

- I am so happy today.

70. 힘들 땐 잠시 쉬어가도록 해.

- When you are tired, just get some rest.

71. 올여름에는 해외여행을 갈 거야.

- I will go on a trip abroad this summer.

72. 요즘 영어 공부 열심히 하니?

- Are you studying English hard these days?

73. 대학에서 수학을 전공할 거야.

- I will study mathematics as my major in university.

74. 엄마, 강아지를 키우고 싶어요.

- Mom, I wanna have a puppy.

75. 오늘 일정은 어떻게 돼?

- How's your schedule today?

76. (사무실에서) 그 보고서, 5시까지 제출해 주세요.

- (at the office) Submit your report by 5 o'clock.

77. 회의 준비는 다 끝냈나요?

- Did you finish preparing the meeting?

78. 제출한 보고서에 보완할 점이 있어요.

- There is something to add in your submitted report.

79. 프레젠테이션, 아주 잘했어요.

- You did a good job on your presentation.

80. 모두들, 퇴근하도록 해요.

- It's time to leave work, everyone.

81. 실례합니다. 버스 안에서는 조용히 해주실 수 있나요?

- Excuse me, could you keep it down on the bus?

82. 청소를 좀 도와주시겠어요?

- Can you help me clean?

83. 엄마, 숙제하는 걸 좀 도와주실 수 있어요?

- Mom, can you help me do my homework?

84. 내일 학교 준비물은 무엇이니?

- What are your school supplies for tomorrow?

85. 이번 가을 소풍으로 성에 가요.

- We will go to the castle for our fall picnic.

86. (병원에서) 어디 불편한 곳이 있나요?

- (at the hospital) Is there something wrong?

87. 목이 아프고 기침이 심해서요.

- I have a sore throat and a bad cough.

88. 네가 한번 살펴볼게요. (잠시 후) 주사를 맞으시고 약을 처방해드리겠습니다.

- Let me take a look at that. (after a while) I'll give you an injection and prescribe some medicine.

89. (약국에서) 여기 처방전 있습니다.

- (at the pharmacy) Here's my prescription.

90. 매 식사 후 30분, 1포씩입니다.

- Wait half an hour after each meal, then take a dose of medicine.

91. (서점에서) 한강(Han Kang)의 소설이 들어왔나요?

- (at the bookstore) Is the novel written by Han Kang in stock?

92. 예. 여기에 있습니다.

- Yes. Here you are.

93. '흰'(The White Book)을 사겠습니다. 얼마입니까?

- I will get 'The White Book'. How much is it?

94. 내일 친구랑 방과 후에 테니스를 치기로 했어.

- I am going to play tennis with my friend after school.

95. 항상 나아가는 삶을 살아가고 있어.

- I live my life always moving forward.

96. (비행기에서) 어디 불편하신 데가 있나요?

- (at the plane) Is there anything uncomfortable for you?

97. 목이 좀 마릅니다. 물 한 잔을 주시겠어요?

- I'm so thirsty. Can you give me a cup of water?

98. 여기 물 있습니다.

- Here is some water.

99. 봄이 오면 함께 정원에 꽃을 심을래?

- Can you plant flowers in the garden with me when spring comes?

100. 초여름은 블루베리를 수확하는 시기야.

- Early summer is the best time to harvest blueberries.

101. 대학에 가면 철학 수업을 들을 거야.

- When I go to university, I will take a philosophy class.

102. 반려동물로 햄스터를 키우고 있어.

- I have a hamster as a pet.

103. 이제 겨울인데 이번 주말에 스키 타러 갈래?

- It's winter, so will you go skiing with me this weekend?

104. 이번 설거지 당번은 너야.

- You are in charge of washing the dishes this time.

105. 날씨도 추운데 아프지 않도록 조심하세요.

- It's cold, so be careful not to get sick.

106. 즐겁고 행복한 오후 되세요!

- Have a wonderful and happy afternoon!

107. 자기 삶을 사세요. 그러면 됩니다.

- Live your own life. That's the answer.

108. 이번 주에 운전면허 실기 시험이 있어.

- I have a practical driving test this week.

109. 모든 게 잘 될 거야. 가서 해봐!

- Everything will be okay. Go for it!

110. 소설을 한 편 썼어.

- I wrote my own novel.

111. 정말? 대단해.

- Really? That's awesome.

112. 삶의 많은 과제는 자아에 의해 결정된다.

- Many of life's assignments are determined by the ego.

113. 매일 진심으로 나를 돌아보고 계속 앞으로 나아간다.

- I sincerely reflect on myself every day and keep moving forward.

114. 자기 존재를 한껏 사랑한다.

- I deeply love my existence.

115. 내 취미는 독서, 산책, 음악 감상이야.

- My hobbies are reading books, strolling in the park, and listening to music.

116. 같이 크리스마스 트리를 장식하자.

- Let's decorate the Christmas tree.

117. 즐거운 크리스마스 되고 새해 복 많이 받아.

- Merry Christmas and Happy New Year.

118. 새해에는 멋진 일만 가득하길 바랄게.

- I hope you have wonderful things in the New Year.

119. 마음이 따뜻한 어른이 되고 싶어.

- I want to be a warmhearted adult.

120. 내 꿈은 매일 조금씩 성장하는 거야.

- My dream is to grow little by little every day.

121. (택시에서) 서울역으로 가주시겠어요?

- (at the taxi) Can you get to Seoul Station?

122. 현충일에는 국기를 게양해야 해.

- We should raise the national flag on Memorial Day.

123. 주차장은 코너를 돌면 있습니다.

- The parking lot is located around the corner.

124. 엄마, 새 자전거를 갖고 싶어요.

- Mom, I want to get a new bicycle.

125. 식목일에 나랑 나무 심을래?

- Will you plant trees with me on Arbor Day?

126. 돈을 벌면 빨간색 SUV를 사고 싶어.

- If I make money, I want to buy a red SUV.

127. 시청으로 가려면 몇 번 버스를 타야 하나요?

- Which bus should I take to get to City Hall?

128. 120번 버스를 타세요.

- Take bus number 120 to get there.

129. 이번 여름 휴가 때 뭘 할 거야?

- What are your plans for this summer holiday?

130. 베트남 다낭을 여행할 거야.

- I will travel around Da Nang, Vietnam.

131. 회 좋아해? 저녁에 같이 회 먹을까?

- Do you like raw fish? Shall we have it for dinner?

132. 점심으로 다들 초밥 어때요?

- How about having sushi for lunch?

133. 죄송합니다, 저도 여기가 처음이라서요.

- Sorry, I'm a stranger here, too.

134. 흡연 구역은 어디인가요?

- Where is the smoking area?

135. 너는 무슨 색을 가장 좋아해?

- Which color do you like the most?

136. 파란색이야. 내 칫솔도 그래서 파란색이야.

- I like blue. So, my toothbrush is blue.

137. 안녕, 나는 한국에서 온 제니야.

- Hi, I am Jenny from the Republic of Korea.

138. 너는 어떤 계절을 가장 좋아해?

- What is your favorite season?

139. 나는 가을을 가장 좋아해. 사색하기 좋은 계절이거든.

- I like autumn the most. It's a good time to think and reflect.

140. 너는 어떤 영화를 제일 좋아해?

- What is your favorite movie?

141. 잉글리쉬 페이션트야. 드넓은 사막과 전쟁, 그리고 러브스토리가 좋아.

- I like 'The English Patient'. It is about a vast desert, war, and a tragic love story.

142. 여기 식당 앞에 잠시 주차해도 될까요?

- Can I park here in front of the restaurant for a minute?

143. (학교에서) 자, 한 명씩 과제를 발표해봅시다.

- (at the school) Let's present one after another.

144. 잘했어요.

- You did a good job.

145. 이번에는 기회를 잡을 거예요. 그동안 준비해 왔거든요.

- I will grab this opportunity. I have been ready for it.

146. 그녀는 늘 모자를 써.

- She always wears a hat.

147. 겨울밤 따뜻한 차 한 잔이면 충분해.

- It's enough for me to sip a cup of warm tea on a winter night.

148. 이번에는 내가 설거지할게.

- I'll do the dishes this time.

149. 데이비드, 숙제할 시간이야.

- David, it's time for you to do your homework.

150. 네, 엄마. 모르는 것이 있으면 물어봐도 되죠?

- Okay, mom, if there's something I don't know, can I ask about it?

151. 영어를 향상시키려면 문장을 구성하는 연습이 필요해.

- If you want to improve your English, it's important to practice making sentences.

152. 사랑하는 사람이 있었으면 좋겠어.
- I wish I had my beloved one.

153. 언제고 진정한 사랑을 해보고 싶어.
- I want to truly love someone someday.

154. 인생의 과제는 스스로가 정하고 또 해내는 거야.
- Life's assignments can be self-assigned and we ought to complete them.

155. 자기 삶을 사랑하는 것이 무엇보다 중요해.
- The most important thing is that we love our own lives.

156. 때로 행복하지만 그렇지 않을 때도 괜찮아.
- I sometimes feel happy, but it's okay when I don't.

157. 서둘러. 열차 출발까지 10분 남았어.
- Hurry up! We only have 10 minutes left until the train departs.

158. (역에서) 내일 오전 9시 경주행 2명입니다.
- (at the station) Two people heading to Gyeongju at 9 a.m. tomorrow.

159. 표 여기 있습니다. 확인해 주세요.

- Here's your ticket. Please check it again.

160. (학교 상담실에서) 선생님, 고민이 있어서 왔어요.
- (at the school counseling office) Sir, I'm here because I have some worries.

161. 편하게 말해보렴.
- Say it comfortably.

162. 가고 싶은 대학이 있는데, 성적이 조금 모자랍니다.
- There's a university I want to enter, but my grades are too low.

163. 그렇구나. 그 대학을 가고 싶은 거니, 그 대학의 어떤 과를 가고 싶은 거니?
- Oh, really? Do you want to enter that university or are you aiming for a specific department of that university?

164. 둘 다요.
- I mean both.

165. 우선 수능 시험을 치고 성적이 나오면 다시 이야기해보자.
- Let's talk about it again after you take the CSAT and get your results.

166. 네, 알겠습니다.

- Yes, sir.

167. 최선을 다해보자꾸나.

- Try to get the best result, okay?

168. 새 운동화를 샀어. 뉴발란스 거야.

- I bought a new pair of sneakers from New Balance.

169. 오늘 저녁은 카페에서 책을 읽을 거야.

- I am going to read a book at a coffee shop this evening.

170. 엄마, 새 휴대폰이 갖고 싶어요.

- Mom, I need a new cell phone.

171. 넌 좌우명이 뭐야?

- What is your motto?

172. 넌 삶에서 가장 중요한 것이 뭐라고 생각해?

- In your opinion, what's the most important thing in your life?

173. 난 사색과 집필의 삶을 사랑해.

- I love a life of contemplation and writing.

174. 내 꿈은 영화 프로듀서가 되는 거야.

- My dream is to become a film producer.

175. 이번 학기에는 공부를 좀더 열심히 할 거야.

- I am going to study harder this semester.

176. 이번 주말에 등산 갈래?

- How about climbing a mountain this weekend?

177. 네 삶을 스스로 사랑하고 늘 앞으로 나아가길 바랄게.

- I hope that you love your life and always move forward.

178. 어제 헤르만 헤세의 <데미안>을 읽었어.

- Yesterday, I read <Demian>, written by Hermann Hesse.

179. 사진작가가 되어서 세계를 여행하고 싶어.

- I want to be a photographer and travel around the world.

180. 발목 수술을 받아야 해서 조금 무서워.

- I am a little scared because I have to get ankle surgery. .

181. 삶에 균형과 질서를 세우고 싶어.

- I want to create balance and order in my life.

182. 저녁 뉴스를 볼 시간이야.

- It's time to watch the evening news.

183. 내일은 딸과 함께 가까운 동물원에 갈 거야.

- I will go to a nearby zoo with my daughter tomorrow.

184. 이번 겨울엔 해운대 바닷가를 보고 싶어.

- I want to see Haeundae Beach this winter.

185. 삶은 쉽지 않지만, 난 내 삶을 온전히 완성하고 싶어.

- Life is not easy, but I want to make my life complete.

186. 예쁘지만 비싸진 않은 핸드백을 샀어.

- I bought a pretty but inexpensive handbag.

187. 날마다 내 삶을 진지하고 성실하게 살아가고 있어.

- I live my life with seriousness and earnestness every day.

188. 너는 무엇을 가장 좋아하니?

- Which one do you like the most?

189. 나는 독서를 가장 좋아해.

- I like reading books the most.

190. 삶의 목적으로서 내가 할 일을 찾고 있어.

- I've been looking for something to do as life's purpose.

191. 날이 추우니 따뜻하게 입어.

- The weather is cold, so dress warmly.

192. 늘 차조심해.

- Watch out for cars all the time.

193. 오늘 일이 바빠 집에 늦게 들어가.

- I am busy today, so I'll get home late.

194. 시험 잘 보길 바랄게! 응원해!

- Good luck on your exam! I'm rooting for you!

195. 간식으로 도넛과 커피를 준비했어.

- I prepared donuts and coffee for a snack.

196. 나는 내 인생을 사랑하고 내 인생에 최선을 다할 거야.

- I love my life and do my best towards my life.

197. 힘들고 답답할 때는 잠깐 산책해봐.

- When you feel overwhelmed and stuffy, just take a walk for a bit.

198. 감기에 걸렸어.

- I've caught a cold.

199. 우리 각자는 각자의 삶을 살아갈 책임이 있어.

- We have a responsibility to live our own lives.

200. 교통 체증이 심해서 약속 시간에 약간 늦을 거 같아.

- There is a heavy traffic jam, so I will be a little late for the appointed time.

201. 반려동물을 키우는 건 상당한 책임이 필요해.
- Raising pets requires considerable responsibility.

202. 이번 주말에 친구랑 야구 경기 보러 가기로 했어.
- I will go to see a baseball game with my friend this weekend.

203. 아이들을 위해 크리스마스 선물을 준비해야겠어.
- I will prepare Christmas gifts for my children.

204. 이런 말 해서 미안한데, 여전히 널 사랑해.
- I am sorry to say this, but I still love you.

205. 마트에 들렀다가 집에 갈게.
- I'll stop by the mart, and then I'll go home.

206. 오토바이나 자전거를 탈 때는 항상 헬멧을 쓰도록 해.
- Put on your helmet all the time when you get on a motorcycle or bicycle.

207. 자기 계발은 중요한 과제야.
- Self-improvement is an important task. .

208. 어떻게 하면 공부를 잘할 수 있을까?
- How can I study well?

209. 내 인생에 대해 생각할 때마다 늘 설레.

- Whenever I think of my life, it makes my heart flutter.

210. 카페나 산책 등 자기만의 쉬어가는 자리를 만들면 좋아.

- It's good for you to create your own place for rest, for example, like going to a coffee shop or taking a stroll.

211. 나는 내 꿈을 찾는 중이야.

- I am trying to figure out my dream.

212. 이번 수학 시험에서 만점을 받았어.

- I got a perfect score on this math test.

213. 커피숍에서 아르바이트를 시작했어.

- I began a part-time job at a coffee shop.

214. 태권도를 배우기 시작했어.

- I began to learn Taekwondo.

215. 인생의 숙제로서 매일 할 일을 해내야 한다.

- We need to complete our tasks every day as life's assignments.

216. 때로 실수와 실패가 있지만, 결국 원하던 바에 가까워진다.

- There are sometimes mistakes and failures, but we get closer to what we wanted.

217. 삶에 정답은 없지만, 어떻게든 자기 삶을 살아가면 된다.
- There is no clear answer to life, but still, we should live our own lives.

218. 가끔은 살아가는 게 아름답다고 느껴져.
- Sometimes, I feel that life's matters are beautiful.

219. 때론 삶에 대한 태도가 필요하다.
- We sometimes need a certain attitude toward life.

220. 내 꿈은 삶을 깊이 이해하는 에세이스트가 되는 거야.
- My dream is to become an essayist who has a deep understanding of life.

221. 타인을 배려하고 친절한 사람이 되고 싶어.
- I want to be a compassionate and kind person to others.

222. 오후에 세탁기 돌리고 빨래 널어놔.
- Run the washer and hang the laundry on the clothesline in the afternoon.

223. 오늘 저녁은 닭볶음탕이야.
- Today's supper is braised spicy chicken.

224. 숙제 다 하고 자렴.

- Go to bed after you finish your homework.

225. 일어나. 학교 갈 시간이야.

- Get up now. It's time to go to school.

226. 오늘은 '시'에 대해 수업하겠어요.

- Today, I will give a lesson about 'Poems'.

227. 내일은 '기하학 도형'에 대해 퀴즈가 있어.

- You will have a quiz about 'geometric figures' tomorrow.

228. 내일 수업 준비물을 잘 챙겨서 오는 것 잊지 말아요.

- Don't forget to bring the class supplies tomorrow.

229. 오늘 하루도 수고했고, 내일 봅시다.

- Good job today, and see you tomorrow.

230. 내일은 지각하는 학생이 없도록 합시다.

- I hope there are no late students tomorrow.

영어 말하기 클래스

발　행 | 2025년 2월 6일
저　자 | 장현정
펴낸이 | 한건희
펴낸곳 | 주식회사 부크크
출판사등록 | 2014.07.15.(제2014-16호)
주　소 | 서울특별시 금천구 가산디지털1로 119 SK트윈테크타워 A동 305-7호
전　화 | 1670-8316
이메일 | info@bookk.co.kr

ISBN | 979-11-419-8220-1

www.bookk.co.kr